CW00820369

AR Y DAITH

SIÂN NORTHEY

Gwasg
Gwynedd

Argraffiad Cyntaf — Tachwedd 1998

© Siân Northey Humphreys 1998

ISBN 0 86074 152 4

Dymuna'r awdur a'r cyhoeddwyr ddiolch i Golwg Cyf.
a Chymdeithas Addysg y Gweithwyr am ganiatâd
i ailgyhoeddi rhai straeon a ymddangosodd
yn eu cylchgronau hwy.

*Cyhoeddwyd ac Argraffwyd
gan Wasg Gwynedd, Caernarfon*

Cynnwys

I PETE,
LLINOS, SIONED A GWEN

Tri Diwrnod

Cael fy neffro cyn chwech fel arfer. Hi'n gweiddi isio
cael ei gweithio; hen ddweud hyll, pam na ddwedith
hi 'toilet' neu hyd yn oed 'gweld fy modryb' fel Mrs
Evans-Jones gynt. Ta waeth, ei chodi ar y comôd,
aros gan esgus edrych trwy'r ffenest ar y wawr yn
torri. Yna sychu ei phen ôl, a'r moelni sydd mor
annwyl mewn plentyn yn codi pwys arnaf. Ei chodi
yn ôl i'r gwely, ac yna'r rhan waethaf, gwagio'r potyn.
'Da chi isio panad, Mam?' Ar ôl deng mlynedd ar
hugain o fod yn briod â'i mab mae'r 'Mam' yn dod
yn ddigon rhwydd. Hithau yn nodio, felly mynd i'r
gegin. Te iddi hi a choffi i minna. Dwi'n yfad
gormod o goffi. Gadael ei phanad wnaeth hi.

★   ★   ★   ★

Deffro'n gynnar a diodde yn hir cyn galw. Dwi'n
gwybod 'i bod hi'n licio gorfeddian yn ei gwely yn
y boreua. Galw reit dawal i ddechra, ''Luned,
'Luned,' ond dim atab. Dwi'n cael ysfa weithia i
weiddi dros y lle fy mod i 'isio cachu'. Ond fe
briododd Wil ni ferch Elis Twrna. Mynd i'r ystafell
ymolchi y mae Eluned. Mae'n gas gen i'r gadair biso
'na, a dwn i ddim be ddiawl sydd i'w weld trwy'r

7

ffenest bob bore; mi fuaswn i'n teimlo'n llai annifyr pe bai hi'n siarad. Daeth y banad wan arferol heb ofyn amdani. Dwi'n gallu arogli'r coffi. Iddi hi mae hwnnw, m'wn.

★ ★ ★ ★

Fe fydd yn wyrth os na syrthiaf i gysgu yng nghanol y cinio blynyddol. Wedi codi cyn yr alwad foreuol hyd yn oed er mwyn cael popeth yn barod. Ei chinio hi a chinio Wil ar blât yn yr oergell. Eu swper wedi rhewi'n gorn, cyfarwyddiadau wedi eu gludo ar ddrws y micro-don. Dillad a chynfasa glân wrth law rhag ofn y gwlychith hi, neu waeth. Rhif ffôn y gwesty lle mae'r gynhadledd ac yna'r cinio.

Waeth i mi heb ag esbonio iddi lle dwi'n mynd. Mi gaiff Wil drio dal pen rheswm efo hi am unwaith. Y peth gwaethaf yw fy mod i'n teimlo'n euog yn ei gadael hi, a finna heb fod allan gyda'r nos ers cyn Dolig.

★ ★ ★ ★

Wil druan fu raid gwneud y cinio heddiw. Mae o ar fai yn gadael iddi gymowta fel hyn. Chwarae teg iddo, fe wnaeth salad bach digon blasus i'r ddau ohonom. Roedd hi wedi gadael rhywbeth iddo ail-dwymo i'n swper. Mi fuasa hwnnw wedi gallu gwneud efo rhyw chwarter awr arall yn y popty, ond fiw i mi ddweud dim. Mi aeth ddigon blin pan ofynnais i lle roedd hi wedi mynd. Dwi'n gobeithio

8

y gŵyr o lle'r aeth hi. Mi hola i hi fory. Dydio ddim yn iawn diflannu o hyd fel hyn.

★   ★   ★   ★

Cyrhaeddais adre tua hanner nos, wedi meddwi fwy ar y gwmnïaeth a'r rhyddid na'r gwin a'r brandi. Beth bynnag arall sy'n methu mae'i chlyw yn berffaith. Ystyriais fynd heibio'r drws, ond grym arferiad yn drech na mi. Mae llond coban o garthion dynol yn sobri rhywun yn gynt na dim. Gwneud beth oedd raid a mynd yn fy mlaen i'm llofft fy hun.

Cyrhaeddais y tŷ yn llawn teimladau roeddwn wedi anghofio amdanynt bron — y gwin a'r daith bws wedi dod â hen atgofion yn ôl. Ond roedd y baw, a'r llestri heb eu golchi, a'r ddwy botel gwrw wag ar fwrdd y gegin, a'r lwmp tew hanner cant a oedd yn gyfrifol am y cyfan yn drech na'm hatgofion a'm dychymyg.

★   ★   ★   ★

Chyrhaeddodd hi ddim adra mewn pryd. A phan ddaeth hi roedd ogla diod mawr arni. Dwi'n lwcus iawn ei bod wedi fy nghlywed. Does ryfedd yn y byd nad oes 'na lawer o sŵn springs gwely yn y tŷ yma. Chwara teg, dydi Wil ond hanner cant. Dwi'n cofio sut oeddwn i ac Edward a ninnau yn hanner cant — ond dyna fo, doeddwn i ddim yn galifantio nac yn yfad.

Mi dduda i wrthi yn y bora, mi dduda i fy mod i isio coffi, ac mai adra yn gwneud bwyd i'w gŵr ydi'i

9

lle hi, ac na ddylai merched yfad. 'Sgynnai ddim ofn 'mi ledi'.

Fe gafodd hi godwm bore 'ma. Roedd y gryduras ar lawr rhwng ei gwely a'r comôd, a finnau'n methu ei chodi hi. Mae'n rhaid ei bod wedi cael rhyw drawiad bach. Roedd hi'n mwydro ac yn siarad yn wirion efo hogia'r ambiwlans. Gobeithio fod rheini wedi clywed digon o hen bobl yn ffwndro i beidio cymryd sylw. Dyna lle roedd hi'n gweiddi,

'Diolch byth, ewch â fi o'ma. Cadwch hi ddigon pell oddi wrtha i.'

A dyma hi'n dechrau crio a sôn am ei phlant.

'Wnes i 'rioed daro un o'r plant 'cw. Wnes i 'rioed wylltio a brifo un oedd yn fy ngofal i.'

'Tasa fo wahaniaeth, dydi hynny ddim yn wir. Mae gen i go ohoni yn cyfaddef iddi daflu Wil ar draws y stafell i mewn i'w grud ac yntau ond pedwar mis oed. Ond dyna fo, mae 'na derfyn ar amynedd pawb, ac rydyn ni gyd yn euog o wadu rhywbeth.

Stori Albert

'Sylwith o dwad?'

'Duw, 'sa'r alc yna ddim yn sylwi 'sa 'na eliffant yn cysgu wrth ei ochr o.'

'Wel gwthia'r ddwy ato fo 'ta. Y gwely 'di'r unig le cynnas yn y blydi tŷ. 'Sa'n bechod iddyn nhw farw.'

'Tyd, gad nhw rŵan. Fe laddith y musus fi os ffindith hi 'mod i wedi helpu hwn adra eto heno.'

Ac felly y bu i ddau ddyn chwil helpu un dyn chwil iawn ac, wrth gwrs, un gath. Roedd y llall, er gwaethaf gwres corff Albert wedi trengi erbyn y bora. Ac yng ngolwg Albert y bore wedyn, yr un farw oedd yr un ora. Roedd yr un fyw wedi piso yn y gwely.

Fe all cathod bach pum wythnos oed sydd heb gael digon o faeth fod yn betha hyll ar y naw. Ond fe all dynion deugain oed sydd wedi cael gormod o gwrw a dim digon o gariad fod yr un mor hyll. Falla ma' dyna be ddenodd y ddau at ei gilydd. O safbwynt y gath, roedd y darn cig moch, a ollyngodd Albert ar lawr heb sylwi, yn help hefyd.

Dydd Sul oedd hyn, ac felly, er bod Albert wedi bod am beint neu ddau yn y Clwb, roedd yn ddigon sobor yn mynd i'w wely i sylwi ar chwaer y gath.

Gwnaeth yr hyn yr oedd wedi bwriadu ei wneud pan gododd. Gafaelodd yn ei chynffon, agor y ffenest, a gwylio, heb lawer o deimlad, ei chorff 'sgyrnog yn fflio mynd dros y gwrych i ardd drws nesa. Heb dynnu llawer mwy na'i 'sgidia setlodd ei hun yn ochr sych y gwely, a dilynodd y gath fyw o, gan gyrlio ei hun yn belen feddal, ddigywilydd yn erbyn ei fol.

'Wel y bitsh fach bowld.'

Agorodd y gath un llygad ac edrych i fyw llygaid Albert. Dyma'r agosa i winc a gafodd Albert gan neb er pan oedd tua saith oed.

'Well 'ti gael enw m'wn.'

Un rhigol oedd i'w feddwl, ac fe dderbyniodd Ginis ei bedyddio gyda grwndi. Afraid dweud ei lliw. Petai'r tri chwil wedi cyrraedd ychydig cynt nos Sadwrn efallai y byddai Lager yn cadw cwmni iddi; ond roedd honno ochr bella'r gwrych yn denu llygod mawr, ac ni faliai nac Albert na Ginis yr un botwm corn amdani.

Bach, bach yw eisiau dyn a chath. Gwres a bwyd — gwres a bwyd i un, a gwres a bwyd a chwrw i'r llall. Rhoddent wres y naill i'r llall, er mae'n debyg mai Ginis oedd yn cael y fargen ora; ac fe fwytaent yr un bwyd — cig moch i frecwast ac uwd o'r micro-don ar ôl amser cau. Ac fe aeth Ginis o fod yn hanner peint crintachlyd i fod yn beint llawn hael. Clamp o gath, cath wedi glanio ar ei thraed fel mae cathod fod i wneud.

'Biti 'sa'r gath 'na yn dysgu Albert sut i folchi.'

'Mae o yn gwario bron cymaint ar Wisgas ag mae o ar wisgi.'

'Mynd adra i'r gwely at "cat-woman", Albert?'

Ni fyddai Albert yn ymateb mewn unrhyw fodd i'r sylwada, er iddynt gael eu dweud yn uchel o fewn ei glyw. Eu hanwybyddu y byddai, hyd yn oed y plagio a wnâi'r plant.

'Ginis 'di cariad Albert, Ginis 'di cariad Albert.'

     ★   ★   ★   ★

' 'Dydyn nhw'm yn dallt, nac 'dyn, Gin bach. 'Dan ni'n fêts, ac os mêts, mêts, te. Edrycha i ar dy ôl di; sbia *'prawn & pilchard'* — ma' hwn yn un newydd Ti'n sticio efo fi yn 'dwyt. Dwi 'di licio cathod rioed, ond bod pobl y blydi pentra 'ma ddim yn cofio. Sbia . . .'

Tyrchodd Albert mewn drôr a chael hyd i lun plygedig a'i ddangos i'r gath. Hogyn tua pump oed ac wrth ei ochr gwraig dal yn trio gwenu er mwyn y camra. Ym mreichiau'r bachgen roedd clamp o gath fawr wen.

'Sbia — fi ac Eira, a Mam 'di honna. 'Ro'n i'n fêts efo Eira. Nath Mam fynd ag Eira i ffwrdd efo hi, nath Mam fynd ag Eira i ffwrdd efo hi. Eira nath Mam fynd efo hi i ffwrdd.'

Wnaeth Albert ddim uwd y noson honno.

     ★   ★   ★   ★

Petae, petae, petae; dim ond un petae yn llai oedd angen i osgoi'r peth. Petae'r genod heb benderfynu mynd i chwara gwrachod yn Coed Bach y noson honno. Petae Ginis wedi dilyn trywydd rhyw ll'godan yn lle dŵad yn llywath efo nhw i fod yn gath i'r brif wrach naw oed. Petae Albert heb gael ei hel allan o'r Bwl yn gynnar, a hyd yn oed wedyn doedd dim rhaid iddo gerdded adra trwy Coed Bach. Ond fe wnaeth, ac fe aeth Ginis, ac fe aeth y genod.

★   ★   ★   ★

'Ma' Albert yn dŵad. Cer â hi'n ôl at y tŷ.'

A dyletswydd y brif wrach oedd cipio'r gath a rhedeg. Rhedeg oddi wrth Albert heb ysgub na hud. Rhedeg cyn gyflymed ag y gall coesau naw oed redeg. Sgrialodd y lleill i'w cuddfannau.

Ac fe welodd Albert wrach. Cyn heddiw roedd o wedi gweld tylwyth teg a chorachod, gwiwerod yn sgwrsio a dail yn disgyn ar i fyny. Roedd wedi gweld hyn i gyd wrth ddychwelyd o'r Bwl trwy Coed Bach. Doedd gweld gwrach yn ddim syndod iddo. A dyna oedd hi yn bendant — het bigfain ddu, clogyn, cudynnau o wallt yn dawnsio wrth iddi redeg trwy'r coed. Lleisiau — roedd y lleisiau yn y coed yn fwy byw nag arfer heno — sgrechian, merched yn sgrechian, y tylwyth teg yn galw ei enw.

Ac yna gwelodd Ginis. Ginis ym mreichiau'r wrach, yn mynd oddi wrtho, yn ei adael.

★   ★   ★   ★

'Gas gen i sbio ar y poteli Niwci Brown 'na,' meddai gwraig y Bwl, wrth unrhyw un a oedd â mynadd gwrando arni. Ond petae hi heb werthu'r botel iddo fe fyddai Albert wedi gafael mewn coedyn neu garreg, neu wedi cau ei ddwrn yn belen galed, galed. Dydio ddim yn cymryd llawer o nerth i falu penglog frau fel'na.

Gwaith Dyn

'Aeth craig yn gerrig, yn glawdd, a chlawdd yn garnedd.
Ymatal rhag ymyrryd, bodloni ar babelli.'
Llafarganodd Eurgon gyda'r gweddill, fel y gwnaeth
bob bore er pan oedd yn blentyn pum mlwydd oed.
Pan oedd yn bump nid oeddynt ond geiriau, a gwelai
babell ei fam a phabell ei nain wrth eu dweud. Yn
ddeg, gallai esbonio yn syml. 'Oherwydd beth
ddigwyddodd ers talwm' ysgrifennodd yn llafurus ar
y sgrîn o dan ei lun. Yn bymtheg, roedd yn llawn
ias argyhoeddiad; gallai deimlo'r Gwirionedd, gallai
ddyfynnu manylion Y Gred — 'Fel plu'r gweunydd
ar groen Gaia, . . . carreg lai na dwrn caeëdig, cei
symud â pharch a gweddi . . . ni wyddom ni sicrwydd
sylfaen . . .' Ond yn awr bum mlynedd wedyn roedd
pethau wedi newid — clywai yr Eurgon pymtheg yn
dweud wrtho ei fod yn cablu, y deg yn dweud ei fod
yn mentro a'r pump ei fod yn hogyn drwg.
Anwybyddodd Eurgon holl leisiau ei orffennol.

Nid oedd yn anodd diflannu at ei brosiect.
Ychydig oriau o waith bob wythnos a ddisgwylid gan
yr oedolion. Ychydig oriau oedd eu hangen i
ddarparu bwyd ac ynni ar gyfer y gymuned. Nid
oedd yn anghyffredin i ddynion neu ferched grwydro

ar eu pen eu hunain am oriau, dyddiau, wythnosau neu hyd yn oed fisoedd. Yna dychwelyd i'r gymuned i rannu eu profiadau. Eu rhannu trwy ddawns neu gerdd, trwy ddarlun neu stori. Eu rhannu trwy raglen gyfrifiadur neu ddull o arddio, trin gwallt neu ganu. Ond rhannu bob tro. Nid oedd pwysau arnynt i wneud. Ni chofia Eurgon neb erioed yn gofyn, 'Wel, be ddigwyddodd?'

Byddai rhai yn gweiddi eu darganfyddiad wrth agosáu at y pebyll. Eraill yn gwneud darlun bychan ohono ddeng mlynedd wedyn. Roedd yr wybodaeth yn eiddo i'r gymuned, ond roedd man a modd ei chyflwyno yn eiddo i'r unigolyn.

Felly ni holodd ei wraig ef i ble roedd yn mynd. Gwelodd fod cyhyrau ei gefn yn dynn a phoenus a byddai yn eu mwytho yn gelfydd i'w llacio. Sylwodd ei nain ar y briwiau mân ar ei ddwylo a rhoddodd eli arnynt.

Roedd yn anodd i ddechrau. Pentyrrai'r cerrig a byddent yn aros yno yn foddhaol iawn, ond ar ôl ychydig roedd y wal yn simsanu, neu fe fyddai wedi mynd yn rhy gul iddo allu gosod mwy o gerrig arni. Yna byddai rhaid gadael iddi ddymchwel a dechrau eto. Ymhen amser dysgodd ddewis carreg, ac nad oedd pob carreg yn addas ar gyfer pob bwlch. Dysgodd beth oedd sylfaen, fod y darn o'r golwg cyn bwysiced â'r hyn oedd i'w weld.

Wrth weithio anghofiai am y gymuned. Anghofiai bopeth ond teimlad y garreg yn ei law, a'r modd roedd posib ei gosod yn ei hunion le; fel pe bai yn ail-greu patrwm a oedd wedi bod o'r blaen, patrwm a oedd wedi bod erioed. Daeth y gwaith yn haws, ond yna byddai yn gosod ffiniau newydd iddo'i hun: tro, bwlch, agoriad, bwa.

Ambell waith teimlai fod rhywun yn ei ddilyn, fod rhywun yn ei wylio. Ond ni welai neb; a beth bynnag fe fyddai dilyn person oedd â'i holl osgo yn dangos ei fod eisiau llonydd, yn beth na wneid yn y gymuned.

Ceisiodd Eurgon adael ei gerrig. Llwyddodd am ddyddiau weithiau, ond yna dychwelyd. Ar ôl bylchau fel hyn byddai yn rhedeg y canllath olaf, rhedeg mewn ofn, methu coelio y byddai ei gampwaith yn dal ar ei draed. Byddai yno bob tro, heb newid, rhywbeth, rhywbeth . . . crafodd am y gair . . . rhywbeth parhaol. Dechreuodd siarad gyda'r wal, 'Chdi a fi, neb arall'. Weithiau gorweddai ar ei hyd yn edrych arni am oriau. Dechreuodd y wal dyfu i fod yn rhywbeth mwy na wal syml. Heb iddo wybod bron gwelodd ei fod yn ôl yn ei dechrau. Roedd yn gylch caeëdig gydag ambell agoriad. Syllodd Eurgon arni am hir. Roedd yn ei atgoffa o rywbeth. Gwenodd yn sydyn — wrth gwrs — pabell, roedd yn adeiladu pabell garreg. Teimlai frys ar ôl y diwrnod hwnnw. Roedd yn gwybod at beth yr oedd yn anelu. Bron nad oedd ganddo ofn yr anghofiai ei weledigaeth pe arafai.

Ac yna y diwrnod mawr. Petrusodd cyn ei gosod

yn ei lle, eisiau cwblhau ond ddim eisiau gorffen. Yn araf gosododd hi, y garreg olaf ar y grib. Llithrodd i'w lle yn berffaith, ffrwyth oriau o fesur â'i lygaid a'i ddwylo. Gwenodd, gwên dyn wedi creu rhywbeth. Ac yna dechreuodd y dagrau lifo, llifo'n gynt a chynt wrth iddo sylweddoli beth oedd wedi ei greu. Nid oedd ganddo enw amdano — ond teimlai ef — teimlai wacter wedi ei selio y tu mewn iddo, lwmp caled, dwys nad oedd posib ei wasgaru. Roedd Eurgon wedi creu cyfrinach.

Trwy'r dagrau clywodd sŵn symudiad y tu ôl iddo. Trodd yn sydyn. Eisteddai ei nain ar foncyff coeden ychydig fesurau i ffwrdd. Aeth trwy enfys o deimladau — ofn, euogrwydd, haerllugrwydd, balchder, cywilydd. Ac yna sylweddolodd fod ei nain yn gwenu, yn chwerthin bron.

'Fe fuost ti'n hir iawn yn mentro, Eurgon bach. Roeddan ni'n dechra anobeithio amdanat ti.'

Mae Heddiw yn Wahanol

Ebrill 10fed, 1993

Tasa gen i ŵr sy'n ymateb i sgwrs efo mwy na, 'Ia' a 'Dow' a 'Gwna banad, pwt', mae'n siŵr na fyddai'n rhaid i mi wrth y dyddiadur yma i roi trefn ar fy meddylia. Ond waeth i mi heb â thrafod ofnau a phryderon, gobeithion a dyheadau efo Dewi. Mae o'n derbyn pob diwrnod a phob person fel ag y maent — yn eu hoffi neu yn eu casáu, ond byth yn dadansoddi nac yn meddwl eu newid. Gwendid mawr, ar adegau, a chryfder mwy ar adegau eraill. O leia, mae'n rhoi cydbwysedd i'n priodas.

Fe geisiais esbonio fy nheimladau heno: ar ôl deng mlynedd o gyd-fyw rwy'n dal i wneud ymdrech, ac weithiau yn y pedwar amser yn cael fy ngwobrwyo â gem fechan — un frawddeg sy'n crisialu fy holl rethreg ac yn well na hynny yn adlewyrchu ei gariad. Ond heno roeddwn yn cystadlu â'r *Paul Daniels Magic Show.*

Fe ddechreuodd y diwrnod mewn ffordd eitha cyffredin — Anwen ar y ffôn yn cadarnhau trefniadau ar gyfer y brotest yfory. Bytheirio fel arfer. O wrando arni, fe fyddech yn taeru fod yr Awdurdod Ynni yn ailgychwyn yr adweithydd yn yr Atomfa yn unswydd er mwyn ei sbeitio hi: eu bod wedi anwybyddu yr holl brotestiadau blaenorol am fod Anwen yn rhan ohonynt. Ond, twrw neu beidio, mae'n weithgar iawn. Fe fyddai yn amhosib i'r mudiad fod wedi gohirio yr ailgynnau cyn hired oni bai am y gwaith ymchwil a wnaeth Anwen. Gohirio yn unig a fu: yfory mae'r adweithydd yn cael ei ailgynnau.

Trefnu i'w chyfarfod wrth brif fynedfa'r Atomfa a rhoi'r ffôn yn ôl ar y bach. Ac, wrth roi'r ffôn i orffwys a gwylio Catrin yn gollwng ei chreision ŷd bob yn un ac un i'r gath, gwybod na fyddwn i yno.

'Rho'r gora i hynna. Rho dy gôt, Tegwen, mae'n chwarter i naw.'

Cario Osian yn ei grud i'r car a danfon yr hyna i'r ysgol. Mae'n bechod eu caethiwo ar ddiwrnod mor braf ond gwn o brofiad fod yn well gan Tegwen gwmni ei ffrindiau na diwrnod gartref efo Mam a'r ddau fach.

'Coda dy law ar dy chwaer fawr.'

Catrin yn gwneud yn ufudd ac yna yn gofyn ei chwestiwn boreuol.

'Ydan ni'n mynd adra neu am dro, Mam?'

'Am dro.'

'I lle?'

'I lle roedd mam yn chwara efo Anti Siân pan oeddan ni'n blant bach.'

A dyna lle y buom trwy'r bora, Osian ar fy nghefn, Catrin wrth fy nghwt a chamra yn fy llaw. Tynnu llun Catrin yn chwara tŷ bach lle y bûm i yn chwara tŷ bach. Casglu dau dusw anferth o fwtsias y gog.

'O'n i'n meddwl mai plant drwg oedd yn hel bloda gwyllt, Mam?'

'Dydi o ddim bwys heddiw: mae heddiw yn wahanol.'

Yna adra i gael cinio.

'Be ti'i isio i ginio, Cat?'

'Ga i rwbath dwi'i isio?'

'Rwbath ti'i isio.'

'Caws triongl, lot o fananas a jeli coch.'

A dyna oedd cinio'r ddwy ohonom.

Wedyn ei sodro o flaen y teledu efo minciag. Nid dyma batrwm arferol diwrnod Catrin ac roedd ei hwyneb yn bictiwr. Ond fe setlodd i lawr i gnoi a rhythu, ac fe es innau i'r llofft.

Dydwi erioed wedi hoffi y rhaglen *Desert Island Discs* ac mae ei chwara hi go iawn yn brofiad erchyll. Faint o ddillad, pa deganau, lluniau pwy, clytiau Osian neu brynu rhai papur ar y ffordd?

Chwerthin fy mod yn dal i drio meddwl yn 'wyrdd'. Ac eto wnes i ddim amau am eiliad fy mod yn gwastraffu amser. Hyd yn oed rŵan, ar y trên i Lundain yn sgwennu hwn, dydwi ddim yn amau.

Yr unig gelwydd y bu rhaid ei ddweud oedd sicrhau Tegwen y byddai ei thad yn edrych ar ôl yr anifeiliaid. Fe adewais nodyn iddo, yn ymbil arno i geisio ein dilyn. Fe fydd yn ei ddarllen, yn gwenu wrth feddwl am ei wraig hurt, fyrbwyll; yn pasio y gwna ychydig ddyddia yn Llundain efo fy chwaer fyd o les i mi; ac yna yn mynd am beint. Diawl o beth ydi 'nabod rhywun.

Mae'r ddau fach yn cysgu rŵan a Tegwen yn brysur efo papur a phensel. Wrth ei nôl hi o'r ysgol y sylweddolais be o'n i'n ei wneud. Gweld y plant eraill, y rhai sydd wedi bod acw yn cael te, yr hogia hŷn a fu'n dwyn fy 'fala y llynedd. Ond dyna fo, does yna ddim yn fwy hunanol na mam, ac ni fyddai neb wedi fy nghoelio, neb wedi ymuno â ni ar y daith loerig yma.

Od fy mod mor bendant, fi sydd yn amau fy hun trwy'r dydd, yn methu penderfynu beth i'w gael i swper, am unwaith yn hollol bendant. Gwybod â sicrwydd tawel, diamheuol — fel y gwyddwn, fisoedd cyn ei eni, mai bachgen oedd Osian — gwybod nad adref oedd y lle i fod yfory.

Dwi'n dal i weld fy hun yn y gegin — y creision ŷd llaethog yn cael eu gollwng i'r gath, un neu ddau yn glanio ar ei chefn. Weithiau mae 'na grych mewn amser meddan nhw. O leia, mae hynna yn un esboniad ar be welais i. Nid gweld Modlen a'i blewyn brech yn ddiferion llefrith, ond cysgod cath wedi ei losgi i mewn i'r teils Rhiwabon coch: yno yn barddu am byth. A feiddiwn i ddim codi fy mhen i weld a oedd yna gysgod braich fach dew uwch ei phen, hyd nes i mi deimlo'r crych yn sythu a sylweddoli fod fy amrannau yn brifo wedi rhythu cyn hired.

Ar sail hynna dwi'n eistedd yn fama a'r polion ffôn

a'r cefna tai yn symud a does ond gobeithio fod Llundain yn ddigon pell.

★   ★   ★   ★

Y diwrnod ar ôl yr angladd, roedd Tegwen a Catrin wedi cynnau tân i losgi yr holl lanast a gasglwyd gan eu mam dros y blynyddoedd. Rhwng hwnnw a haul crasboeth Awstralia roedd y ddwy wraig ganol oed yn chwysu. Esgus i stopio am ychydig oedd i Catrin ddarllen yr hen ddyddiadur yn uchel i'w chwaer.

'Ti isio'i gadw fo?'

'I be? Mae Cymru'n bell ac eith 'na neb yno byth eto.'

Caeodd Catrin y dyddiadur a'i daflu ar y tân.

Dau

Fe briododd hi ddyn mawr. Dyn mawr gwyllt —
barf, gwallt hir, cyhyra, crys sidan, 'sgidia cowbois
go iawn wedi eu mewnforio gan ffrind o lwyth . . .
Dwi ddim yn cofio enw'r llwyth, ta waeth. Dyn a
allai godi wal a thrin stalwyn dyflwydd, dyn a allai
yfed deg peint o Ginis a chanu a charu a chwerthin
a chynganeddu tan oria mân y bora.

Ac fe briododd yntau ddynes syml. Gwallt syth,
croen clir, walia gwyn ei chymeriad yn ei warchod
rhag y byd. Dynes a allai fwytho a maddau, gwenu'n
glên a charu'n gelfydd, a chodi yn y bore i ffrio wya
iddo a mynd i'w gwaith.

'Be ddiawl mae o'n weld yn'i hi?' gofynnai ei gyn-
gariadon. Rheini efo'r gwallt gwyllt a'r coesau hir,
rheini oedd yn tanio reusennau oddi ar fflam
cannwyll bersawrus ac yn gadael llestri budron yn
y sinc.

'Peth od iddi ei briodi o,' meddai ei ffrindiau hi,
wrth osod eu bagia *Next* wrth fwrdd y caffi a gofyn
am goffi gyda llefrith sgim.

A gwenwyn y merched yma i gyd, o'u coffi di-caff
i'w mwg melys yn treiddio dim i'r belen wydr lle
trigai'r ddau.

★   ★   ★   ★

25

Fe gerddai i mewn trwy ddôr yr ardd — y ddôr y peintiodd o y cŵn Celtaidd arni yn rhesi hir o aur a phiws, ac a gafodd bedair côt o farnish ganddi hi i gadw'r llun. Fe gerddai trwy'r ddôr rhyw ben rhwng dau y pnawn a dau y bore, os na fyddai dramor, gan ddod â gwres a thwrw i'r tŷ glân lle roedd popeth yn cael ei wneud yn ei bryd a'i gadw yn ei le.

★   ★   ★   ★

Roedd yn fore Llun a hithau yn tannu dillad ar y lein. Ei dillad isa gwyn, maint deuddeg, a'r mymryn lleia o les fel tonnau'r môr yn yr haf yn dlws a difygythiad.

Clywodd glep y ddôr ac yna teimlo'r dwylo mawr yn gafael yn dynn yn ei bronnau.

'Presant iddyn nhw.'

Agorodd y papur coch a dal y sidan llwyd led braich.

Ac fe ymunodd y sidan llwyd â'r cotwm gwyn, a rhywsut daeth mwy ato, yn goch a du a glas tywyll a phinc, a thonnau gaeafol o les dianghenraid. Am hir bu yn eu gorchuddio â'i chrysau twt gyda'u coleri bach del, ond fe ymledodd y sidan a'r lliw am allan, a'r merched gwalltia gwyllt yn gwenu wrth weld ei ddylanwad a'i hen ffrindia hi yn gofidio. Ond sylwodd yr un ohonyn nhw ill dau ar unrhyw newid.

★   ★   ★   ★

Tafellu tomato yn gywrain ddiddychymyg, caws

diddrwg didda, bara cyflawn. Pryd maethlon i ddiwallu'r corff.

Gwthiodd y ddôr yn agored â'i droed gan fod anferth o fag papur llwyd Americanaidd yn ei hafflau. Gollyngodd hwn ar fwrdd y gegin a dadbacio'r pethau nad oedd eisoes wedi disgyn ohono. Torth wen hir a hada pabi mân, mân du-las yn drwch drosti, taramasalata a'i liw yn herio'r anghyfarwydd i'w fwyta, tomatos wedi eu torheulo yn ffasiynol yn diferu olew hyd y bwrdd wrth iddo eu codi â'i fysedd o'r jar i'w geg, menyn ffarm digon hallt i bara trwy'r misoedd llwm pan oedd y fuwch yn hesb, a chacennau fel ffair wagedd.

Enillodd rhain eu plwy yn y gegin, a byddent yno er ei fwyn a'r ddau ohonynt yn eu bwyta. Ac yn fuan gadawyd y dillad maint deuddeg yng ngwaelod y drôr ac yng nghefn y cwpwrdd, a dysgodd fod ei mam yn iawn — mae siocled yn creu plorod. Câi ei thin helaeth slap ganddo a'r ploryn ar flaen ei thrwyn gusan.

★   ★   ★   ★

Ei syniad o oedd o, wrth gwrs.

'I chdi — 'sa'n neis cael 'chydig o lunia. Rhywbeth i'n helpu ni gofio.'

Brawychwyd hi gan gymhlethdod y camera; fe fyddai un symlach wedi gwneud y tro yn iawn. Llafur cariad ydoedd trin yr anghenfil, hyd nes y gwelodd hi'r lluniau cyntaf wedi eu datblygu. Pleser hunanol ydoedd tynnu lluniau wedyn, hyd nes y gwelodd ffrind iddo fo rai o'i lluniau a mynd â nhw yn ôl gydag ef i Lundain bell.

Chlywodd hi mo wich y ddôr gan ei bod ar y ffôn yn trefnu arddangosfa. Chlywodd hi mo glep y ddôr gan ei bod yn ei hystafell dywyll. Yno yn y golau lliw yn gwylio dalen wen yn troi yn llun.

Chlywodd hi mo'r ddôr yn cael cic ac yn disgyn oddi ar ei hechel, chlywodd hi mo'i lais yn diasbedain yn y tŷ gwag, gan ei bod ar ben y Migneint yn aros i'r cymylau symud. Ni chododd yr un o'r ddau y ddôr yn ôl i gau'r bwlch.

★   ★   ★   ★

'Ffôn i chdi.'

A chan nad oedd ganddo ddim gwell i'w wneud, gwyliodd hi yn sgwrsio ar y ffôn, a sylwi fod tonnau wedi ymddangos yn ei gwallt, ac ni allai yn ei fyw ddweud ers pryd.

'Rhaid i mi fynd allan,' meddai gan godi ei bag camera ar ei hysgwydd lydan, amryliw.

Ac wrth adael y tŷ edrychodd yn ôl trwy'r bwlch lle bu'r ddôr a gweld dyn bychan, ac un can o Ginis yn ei law.

Haul Ben Bore

Mi rydw i wrth gwrs yn dal i gofio; ond rhaid esgus fel arall. Edrych ar y lluniau bob tro rhag ofn fod 'na rhywun, trwy ryw gamera yn rhywle, yn gwylio. Rhywun, rhywle, rhywfaint, rhywbryd — geiriau ofn a geiriau gobaith. Geiriau — o leia mae'r rheini yn dal i fod; yn ein sgyrsiau prin, moel, ymarferol ac yn fy meddwl yn un llifeiriant gwyllt, atgofus, persawrus, anaddas, cuddiedig.

O ddydd i ddydd does 'na ond lluniau i bob pwrpas. Llun merch ar doiledau'r merched a llun dyn ar eu toiledau hwy, llun trên ger y fynedfa i'r orsaf a phob cyfrifiadur siop wrth gwrs yn ddim ond lluniau. Gosod fy mys ar y gwydr fel pan oeddwn yn blentyn yn dewis da-da, ac fel pan oeddwn yn blentyn bydd rhyw riant, mor dal nes ei fod yn anweledig, yn talu ac yn eu rhoi i mi — cyn belled nad ydwi wedi gofyn am ormod o sothach y diwrnod hwnnw. Os gofynna i am ormod bydd pob sgrîn yn troi yn llwyd a difywyd wrth adnabod fy mys, a bydd rhaid trio eto rhyw ddiwrnod arall.

'Bore da.'

Moesymgrymaf fy mhen fymryn i gydnabod y cyfarchiad, does dim disgwyl i mi wneud dim mwy.

Rwyf yn eithriadol o lwcus fod gennyf fuddel sydd yn fy nghyfarch. Gwn am sawl un ohonom sydd wedi gweithio i rai am flynyddoedd heb glywed eu llais. Ond mae hon yn wahanol. Unwaith yn y pedwar amser bydd hyd yn oed yn defnyddio fy enw.

'Bore da, Maria.'

Trysoraf y gair ychwanegol, ei gadw yn fy nghof a'i droi a'i drosi fel carreg wen mewn poced. Ei thynnu allan weithiau i wneud yn siŵr mai un wen ydi hi ac nid un lwyd gyffredin, ond peidio â'i dangos i neb rhag ofn . . .

Wn i ddim yn iawn rhag ofn be, ond dydwi ddim wedi dweud wrth neb fod Nalwa yn defnyddio fy enw. A dyna beth arall, ddylwn i ddim gwybod ei henw hithau wrth gwrs. O fewn fy nghlyw fe ddylai pawb sy'n sgwrsio gyda hi ei chyfarch fel 'y fuddel' a dyna sy'n digwydd yn ddieithriad. Ond rwy'n gallu darllen, ar ôl yr holl flynyddoedd rwy'n dal i gofio sut i ddarllen.

★　　★　　★　　★

Yn dair oed ar lin Gwenan, a honno yn llawn pwysigrwydd dengmlwydd yn chwarae athrawes ac yn chwarae gêm, dysgais ddigon am y symbolau hud i beidio eu anghofio; ond sylweddolodd neb fod y ferch fach dair oed a'i hwyneb budr a'i ffrinj cam yn gallu darllen. Yn y blynyddoedd cynnar nid oeddynt mor gydwybodol yn cael gwared o bob darn o ysgrifen a chefais gyfle i ymarfer. Nid oedd neb yn poeni rhyw lawer os oeddem ni, y rhai ieuengaf, yn gweld ysgrifen. Wn i ddim beth ddigwyddodd i'r rhai hynaf.

Rwy'n cofio Gwenan, ac rwy'n meddwl fy mod yn cofio Mam, ond mae'r newid mor niwlog nes mae'n anodd bod yn sicr weithiau. Efallai mai yn y cartref y bûm i erioed, fel y cred y lleill. A bod yn hollol onest, dydwi ddim yn siŵr be mae pawb arall yn ei gredu, nac yn ei feddwl. Ychydig o sgwrsio a wna pobl o dan ddylanwad y llwch, ac mae patrwm diwrnod cyffs fel fi wedi ei reoli gan y llwch. Dylai ei effaith fod wannaf wrth i ni gyrraedd tŷ ein buddel yn y bore. Gweithio yn gymharol glir o'r effaith ar ben ein hunain trwy'r dydd ac yna, cyn cael ein gollwng gyda'r nos, derbyn chwa ohono gan ein buddel. Mae ar gael yn rhad ac am ddim yn ein neuaddau cysgu, ond mae'r peiriannau yn wag yn ddi-ffael erbyn y bore. Dyna oedd fy mhatrwm innau cyn cael fy nhrosglwyddo i Nalwa.

Cnocio ar ddrws ei hystafell derfyn dydd. Roedd gweddill y tŷ wedi ymddangos yn ddigon cyffredin — tebyg iawn i'r tai eraill y bûm yn gweithio ynddynt, ond llithrodd ei drws yn agored i ddangos rhywbeth na welais yn unman ond ochr draw i niwl y newid. Gorchuddiwyd parwydydd yr ystafell â silffoedd, pob silff tua hyd dwy law oddi wrth y nesaf, naill uwch ben y llall o'r llawr i'r nenfwd; ac ar y silffoedd yn rhesi taclus ac weithiau yn gorlifo yn bentyrrau blêr roedd . . . crafais am y gair, a chyn i mi ei gofio dywedodd Nalwa,

'Llyfra, er mwyn fy ngwaith ymchwil — fy job i. Sbio ar hen bethau ydi fy job i.'

'Fy llwch i'r daith, fy muddel,' atebais mewn ymdrech i ddychwelyd y sgwrs i'r patrwm cywir, derbyniol, er bod fy llygaid yn gwibio o gwmpas yr ystafell.

'Mae'r peiriant wedi torri,' meddai. 'Mae'n ddrwg gennyf. Fe fyddi yn iawn i gyrraedd dy neuadd.'

Gosodiad oedd y frawddeg olaf, nid cwestiwn.

Ac mi roeddwn yn iawn a thri mis yn ddiweddarach rydwi'n dal yn iawn. Wrth gwrs roedd yn anodd y diwrnod cyntaf hwnnw. Roedd yn anodd cadw fy wyneb yn wag a difynegiant ar y daith adref; ac roedd yn sioc sylwi pa mor wag a difynegiant oedd wynebau pawb arall. Roedd yn anodd cyrraedd y neuadd a cherdded i fyny'r grisiau i'm hystafell heibio'r peiriant llwch, ac anoddach byth cerdded yn bwyllog yn ôl heibio iddo wedi rhyw hanner awr a'm holl gorff isio rhedeg ato. Isio rhedeg ato a'i gofleidio, a gwasgu'r botymau, na, dyrnu'r botymau, a sugno'r llwch i mewn i'm 'sgyfaint, i'm corff, i'm meddwl. Gadael iddo luwchio dros ochrau egr fy nheimladau, eu llyfnhau fel nad oedd posib gweld eu hunion siâp. Ond daeth y Faria deirblwydd honno oedd yn sgrechian ar bawb 'Fedra i neud o fy hun,' a gafael yn fy llaw. Diolch amdani.

★   ★   ★   ★

'Falla bod gobaith am y cyff diweddara, Maria. Mae'n anodd dweud; ddwywaith o'r blaen dwi wedi methu. Mae'n rhaid penderfynu mewn cyn lleied o amser. Ei hwyneb hi pan welodd hi'r llyfrau wnaeth i mi fentro, ei llygaid yn pefrio, er na fyddai hi wedi gallu darllen gair ohonynt wrth gwrs, y gryduras. Yna gwneud esgus am y peiriant llwch. Dim ond un bwlch fel hyn dwi'n ei gynnig, dim ond un cyfle. Os oes 'na rywfaint o ruddin ynddyn nhw mae o'n ddigon, os nad oes, wel, fe fyddwn yn gwastraffu fy amser beth bynnag.

Yr ail noson rhoddodd gnoc ar ddrws fy stafell ar derfyn dydd. Suddodd fy nghalon, mae'n rhaid nad oedd wedi gallu maddau i'r peiriant yn ei neuadd. Ond er mawr syndod i mi daeth i mewn â chysgod o wên ar ei hwyneb.

'Rwy'n dychwelyd i'm neuadd, fy muddel. Gresyn fod dy beiriant llwch heb gael ei atgyweirio.'

A diflannodd fel cysgod gan gau y drws yn ddistaw ar ei hôl. Ond wedi'r diwrnod hwnnw does 'na ddim fflach wedi bod. Dim ymgais i ddechrau sgwrs, dim byd ond gwneud ei gwaith. Fel y plant hynny y clywais amdanynt erstalwm a oedd yn gallu darllen cyn mynd i'r ysgol ac yna yn suddo i gyffredinedd.

Yr Ardd

Dechreuodd Ann amau fod pobl yn gallu darllen ei meddwl. Roedd mwy nag un wedi gofyn, 'Be newch chi efo'r ardd?' 'O fe wna i rywbeth,' atebai mewn rhyw ffordd ffwrdd â hi, a gwneud wyneb cystal ag awgrymu mai'r ardd oedd un o bryderon lleia gwraig weddw. Teimlai'r holwyr y byddai wedi bod yn well iddynt holi sut yr oedd yn bwriadu ymgodymu'n rhywiol ar ôl marwolaeth sydyn Alan.

Dair wythnos ar ôl yr angladd aeth Ann am dro o amgylch yr ardd. Nid oedd wedi bod yno o gwbl yn y mis diwethaf, dim ond cerdded o'r car i'r tŷ ac agor drws y cefn i'r gath. Doedd hi ddim yn mynd yn aml i'r ardd beth bynnag. Tiriogaeth Alan oedd yr ardd, ac er ei bod yn eitha maint roedd y cyfan ohoni i'w gweld o ffenestr y gegin.

Yn y dechrau byddai yn ymuno ag ef yn yr ardd, cynnig chwynnu neu docio, ac yn gwneud awgrym neu ddau — beth am damaid o lawnt i osod siglen i Bethan? Beth am dyfu mafon yn ogystal â mefus? Roedd Ann yn hoff o fafon. Ond roedd Alan yn fwy ciaidd a byr ei dymer yn yr ardd nag yn y tŷ, a buan y dysgodd Bethan, fel ei mam, fodloni ar siglen y parc a mafon tûn. Fe gaent bob ffrwyth arall ond ni ddaeth yr un fafonen erioed o ardd Alan Phasey, cadeirydd y clwb garddio.

Ychydig o greulondeb corfforol a fu ar ôl y blynyddoedd cyntaf. Fe fyddai Ann yn cerdded yn erbyn drws, neu yn baglu i lawr grisia bob rhyw ddwy flynedd. Ar ôl y tocio egar cyntaf, i'w chael i siâp, nid oes cymaint o waith trin ar goeden afalau yn y blynyddoedd wedyn.

Wrth iddi gerdded ar hyd y llwybrau o hen frics wedi eu gosod yn igam-ogam, roedd yn rhaid i Ann gyfaddef ei bod yn ardd fendigedig. Roedd yno berllan fechan, gydag afalau a gellyg, coeden geirios yn erbyn y tŷ a gwinwydden yn y tŷ gwydr. Gardd lysiau hefyd, a phridd ffrwythlon du. Yno y tyfai Alan y llysia anferth na ddeuent yn agos i na chyllell na sosban, dim ond gorwedd ar fainc i ennill cwpanau. Roedd yno rosod, rhai yn llwyni isel ac eraill yn dringo. Gwyddai Ann fod ganddynt i gyd enwau ond nid oedd yn adnabod yr un ohonynt. Roedd yno gwt pren bychan. Ni fu Ann i mewn ynddo erioed, ond canfu'r goriad wrth fynd trwy betha ei gŵr, ac aeth un prynhawn i agor y cwt. Bron na ddisgwyliai glywed ei lais yn ei rhegi, neu yn fwy tebygol yn ei dirmygu, am feiddio agor drws ei gwt. Ond wrth gwrs ni ddigwyddodd dim. Rhawiau, ffyrch, *secateurs*, torrwr gwrych trydan a llawer o bethau na wyddai Ann eu diben. Rhesi a rhesi o gelfi garddio wedi eu gosod yn daclus a'r cwbl ohonynt o'r safon orau ac wedi cael gofal tyner. Roedd hi'n bregeth fawr gan

Alan fod eisiau prynu'r gorau ac edrych ar eu hôl. Roedd yno gylchgronau — pentyrrau o gylchgronau garddio a chylchgronau eraill. Byseddodd drwy rifyn neu ddau o'r rheini a synnu ei fod wedi trafferthu eu cuddio. Fe wyddai hi bethau am Alan Phasey a fyddai yn codi gwallt pen golygyddion y cylchgronau bach diniwed yma.

Teimlai Ann ryw ryddid ar ôl y pnawn hwnnw. Crwydrai o gwmpas yr ardd gan ddechrau cynllunio'r hyn yr oedd hi am ei wneud. Mentrodd i'r cysegr sancteiddiolaf, i ganol y *dahlias*. Ni fyddai yr un o'r rhain yn mynd i sioe eleni.

Fe aeth Ann i'r ychydig sioeau amaethyddol a oedd yn weddill yr haf hwnnw. Wedi'r cyfan roedd yn faes hollol newydd iddi; teimlai y dylai ddysgu hynny a allai cyn gwneud dim. Hoffai siarad gyda phobl nad oedd yn adnabod Alan. Synnodd eu bod mor barod i helpu. Synnodd fwy byth ei bod hi, Ann wirion, dwp, a fu dan y fawd ers cyhyd, yn gallu deall cymaint a gwirioni cymaint. Ac yr oedd yn gwirioni. Treuliai'r gyda'r nos yn darllen am y pwnc ac yn gwneud cynlluniau ar bapur. Un noson 'sgwennodd i Bethan yn Awstralia yn esbonio ei chynllun.

Gwnaeth ychydig o newidiadau — ymestyn rhyw bwt o wal, gosod tap dŵr arall i arbed iddi gario dŵr. Ni ddisgynnodd y wal ac ni fu dilyw. Penderfynodd ei bod yn barod i brynu rhywbeth i fynd i'r ardd. Er parch i Alan roedd am brynu'r gorau. Gwnaeth alwadau ffôn, aeth draw i'w gweld a dewis, a threfnu iddynt gael eu danfon drennydd.

Roedd wedi cael popeth yn barod ac wedi codi'n gynnar iawn y bore hwnnw. O'r diwedd gwelodd y fan yn dod. Cynigiodd y gyrrwr ei helpu i'w cael i'w lle.

'Dach chi'n siŵr mai dyma'r lle gora iddyn nhw?'

Synnodd ei chlywed ei hun yn ei atgoffa yn gwrtais iddo gael ei dalu am eu danfon yn unig. Ar ôl cael ei gefn rhedodd yn ôl i'r ardd i edrych arnynt — *Starlight Primrose* a *Starlight Bluebell* — dwy hwch *Tamworth* bedigri yn tyrchu yn hapus yng nghanol y *dahlias*.

Diwrnod Glawog

Edrychodd Sioned ar ei horiawr.

Gadawodd y pys a'r chwyn, y nionod a'r pridd
sych, cododd y babi oddi ar ei blanced a cherdded
i'r tŷ. Roedd yn amser y newyddion a'r tywydd.
Gwyddai nad oedd llawer iawn o ddiben ond ni allai
rwystro ei hun. Roedd ganddi gof o'i mam yn
gwneud rhywbeth tebyg, adeg un o'r rhyfeloedd
mawr cyntaf yn y Dwyrain Canol. Roedd yr ymladd
tros yr olew a oedd yn weddill wedi dechrau, ond
yr adeg honno roeddynt yn dal i wenieithu a'i alw
yn ymladd tros ddemocratiaeth, neu ryddid, neu ein
cymrodyr llai ffodus. Hynny oedd yn gwylltio ei
mam. Cofiai hi yn codi oddi wrth y teledu yn rhegi
dan ei gwynt, 'Pam na fedran nhw fod yn onest am
y peth o leia?' Ac er na allai wneud dim ond
'sgwennu ambell lythyr protest byddai yn gwrando
ar bob bwletin ac yn ceisio esbonio'r anesboniadwy
i Sioned a'i chwaer. 'Pam, Mam?'

Weithiau byddai Sioned yn gwrando ar y
newyddion a'r tywydd trwyddo, ac yna yn sylweddoli
na allai ailadrodd dim ohono. Heddiw gwnaeth
ymdrech i ganolbwyntio. Sylwodd pa weinidogion
y llywodraeth flaenorol oedd yn cael eu beio am y

llanast diweddaraf yma. Nododd ffigyrau y lefelau llygredd a sut yr oeddynt yn codi. Clywodd y gwyddonwyr yn esbonio pa mor annhebygol oedd glaw yr adeg yma o'r flwyddyn, ac yn pwysleisio nad oedd angen poeni o gwbl tra parai'r tywydd yn sych. Yna, fel pob dydd, adrodd y mesurau argyfwng — byddai glaw yn llygru cnydau eleni ac o bosib y flwyddyn ganlynol, byddai dogni llymach yn dod i rym, byddai cosb drom i rai yn gwerthu llysiau ffres llygredig. Pwysleisiwyd y dylai pawb aros yn y tŷ am o leiaf wyth awr a deugain ar ôl i'r glaw beidio. Dychwelodd Sioned a'i merch fach i'r ardd.

Roedd y cnydau yn edrych yn dda. Roedd yno bridd da, gardd wedi bod yno ers blynyddoedd. Cofiai Sioned sut y byddai ei mam yn garddio — garddio er mwyn pleser pan nad oedd angen gwneud, cyn y dogni, pan oedd silffoedd yr archfarchnadoedd yn llawn a hithau yn fychan yn taflu pob math o ddanteithion i'r fasged. Etifeddodd Sioned yr ardd a'r cariad tuag ati. Byddai pob diferyn o ddŵr sbâr yn mynd iddi, a threuliai y rhan fwyaf o'i diwrnod yno yn chwynnu a chanu hwiangerddi i'r fechan.

Glaw mân ydoedd, yn disgyn yn ddistaw, ddistaw. Ysai i agor y ffenestr i gael arogli'r pridd gwlyb. Bron na allai weld gwraidd ei phlanhigion yn llowcio'r dŵr yn eu diniweidrwydd. Trodd oddi wrth y ffenestr i agor tún i wneud bwyd i'r babi. Ond ni chafodd honno'r bwyd. Safodd yno am hir yn gwrando ar y llais ar y radio — llais rhywun na chafodd erioed bridd o dan ei hewinedd, rhywun na rythodd erioed ar ochrau igam-ogam dail mefus ac na fu â'i bysedd a'i gwefusau yn biws wrth hel cyrins duon. Gwrandawodd ar lais hon a gwyddai ei bod hi a'i thebyg wedi cloi adwy'r ardd am byth.

Ar y diwrnod glawog hwnnw, y diwrnod glawog cyntaf ym mis Awst ers naw mlynedd, mygodd Sioned ei babi. Yna aeth allan i'r ardd, a gyda'r corff bychan ar ei glin eisteddodd yng nghanol y glaw yn bwyta pys.

Croeso Adref

Y dechra mae'n siŵr oedd Mam yn gofyn wrth Katie
drws nesa a oedd ganddi hen gynfas wen yn sbâr.

'I be 'da chi isio un o'r rheini, Mam?'

'I mi gael 'sgwennu "Welcome Home Kevin"
arni.'

'Wnewch chi ddim ffasiwn beth,' medda finna yn
geg i gyd.

Fe ddechreuodd hynny goblyn o ffrae — Mam yn
fy nghyhuddo i o beidio caru fy mrawd, fy ngwlad,
ac o fod yn *extremist* cul, ddim yn fodlon helpu neb
byth; a finna yn galw Mam yn Brydeiniwr taeog, yn
fam sâl yn gyrru ei hunig fab i ryfel, ac yn
anllythrennog am na wyddai sut i sbelio 'Croeso'.

Gair da 'anllythrennog' — Miss Jones Welsh
ddysgodd hwnna i mi. Ta waeth, ei diwedd hi oedd
fy mod i, ia fi, yn gwneud clamp o faner efo 'Croeso
Adref Kevin' arni. Dwi a Mam yn anghydweld am
bob dim ac yn dallt ein gilydd i'r dim — sy'n beth
da gan fy mod i'n byw gartra ar y dôl.

Y diwrnod ar ôl y ffrae fe ddechreuodd Mam glirio
cwpwrdd y dresel yn y parlwr gora. Roedd hi wedi
bod yn ll'nau ac yn clirio, yn twtio ac yn paentio ers

pythefnos, er pan gyrhaeddodd y llythyr swyddogol yn dweud fod Kev ar ei ffordd adra.

Yr unig betha heb eu gwneud erbyn hyn oedd cwpwrdd y dresel a ffenest y lle chwech. Roedd crac ym mhaen ffenest fanno ers cyn i Dad farw, felly dwi ddim yn siŵr iawn pam fod rhaid cael un newydd jest am fod Kev yn dod adra. Dwi'n ama a oedd y creadur yn bwriadu edrych yng nghwpwrdd y dresel 'sai'n dod i hynny.

Dydi Mam ddim yn taflu dim byd, ac wrth edrych ar yr holl hen ddillad yn y cwpwrdd y ces i'r syniad. Nid rhyw hen faner gomon wedi ei gwneud efo ffelt tips fydda hon, ond campwaith: rhywbeth iddo draddodi i'w blant ac i blant ei blant (Miss Jones eto!). Byddai pob llythyren yn cael ei gwneud allan o ddefnydd ei hen ddillad.

Fe gymerodd bnawn i ddidol a dethol y dillad — y flanced oedd ar ei grud yn fabi, y trowsus melfed glas pan oedd yn was bach ym mhriodas Anti Anwen, y crys Mickey Mouse yr oedd rhaid ei olchi a'i sychu dros nos i blesio plentyn pedair oed, a llawer mwy.

Mi glywais i Mam yn dweud wrth Katie drws nesa mai llafur cariad oedd y faner yna; ac mae'n siŵr ei bod yn iawn. Ond, wedi dweud hynny, mi ges lawer o bleser ohoni, o weithio'n galed a chreu rhywbeth tlws, a doedd gen i ddim byd arall i'w wneud beth bynnag. Pleser hefyd o hel atgofion wrth ddewis a byseddu pob dilledyn.

Mi wnes i'r peth yn iawn — cynllun ar bapur i ddechrau, ei drosglwyddo i'r gynfas ac yna dewis pa ddilledyn, torri a phwytho. Tei ysgol a chrys rygbi, hen grys-T Status Quo a'r jersi erchyll yna gafodd o'n anrheg Dolig gan ei gariad cynta — i gyd wedi eu dewis i greu patrwm hardd ac i ddweud stori. Wrthi'n gwnïo'r V oeddwn i, darn o iwnifform TAs, pan ddaeth y telegram. Doedd yna fawr o bwrpas cario 'mlaen wedyn.

Doedd yna ddim llonydd i gael am ychydig ddyddia wedyn; y tŷ yn llawn o bobol yn cydymdeimlo. Pawb yn dweud yr un peth, '. . . a fynta i fod i fflio adra y diwrnod wedyn'.

I ddengid rhagddyn nhw yr es i fyny i'r llofft a chael fy hun yn ddiarwybod bron yn gorffen gwnïo'r V yn ei lle. Roeddwn wedi ymgolli yn fy atgofion a'r pwytho mân, taclus fel na chlywais i Mam yn dweud 'ta-ta' wrth haid arall ohonyn nhw, ac yn dod i fyny'r grisiau ac yn agor drws y llofft. Dyma drio gwthio'r faner o'r ffordd rhag iddi ei gweld.

'Tyrd â hwnna yma, hwnna fydd amdo Kevin ni.'

Anaml y bydd Mam yn esbonio gair Cymraeg i mi, ond doedd amdo ddim yn rhan o brofiad na geirfa 5F, a gadawodd Miss Jones ni yn ein diniweidrwydd a'n hanwybodaeth.

Fe edrychodd Twm Bocs Pren yn reit od pan esboniwyd y peth iddo, ac roedd hi'n amlwg nad oedd Mr Rowlands y gweinidog yn siŵr a oedd y peth yn weddus ai peidio. Ond, dyna fo, ein dewis ni fel teulu oedd o, ac mae'r ddau ohonyn nhw yn rhy brin o gwsmeriaid i fod yn gysetlyd.

Fe fu bron ar y naw i mi gael pwl o biffian chwerthin yn y crematoriwm wrth feddwl be fasa Kev wedi'i ddweud am y faner 'Croeso Adref' ac amdanaf innau yn gweithio mor galed ar rywbeth a losgwyd yn ulw. Ond wnes i ddim, dim ond crio a dal yn dynn yn llaw Mam.

Eira Mawr

'Tasa chi 'rioed wedi gweld eira o'r blaen, a 'tasa
chi'n sefyll, fel roeddwn i, wrth y sinc yn sbio allan,
ac yn gweld y petha bach, bach 'ma yn disgyn a
hanner rheini'n diflannu wrth gyffwrdd y gwair, fasa
chi byth bythoedd yn coelio y gallai'r stwff disylwedd
yma guddio'r tyfiant byw. Ac fel plentyn o'r gofod
fe syllais arno am hir, hir gan sylwi, am y tro cyntaf
efallai, sut y gallai pluen weithia lanio yn union ar
ben un a ddisgynnodd o'i blaen, a bod gan honno
lawer gwell siawns o aros nag un a ddisgynnai ar y
gwair neu'r pridd. Ond dyma gyffio ar ôl tipyn, a
theimlo'r dŵr golchi llestri yn oer, a sylweddoli fod
fy nwylo wedi bod yno yr holl amser a'r rheini wedi
crebachu fel tywod wedi'r trai. Fel 'na fydd fy
ngwyneb, meddyliais, gan estyn y lliain sychu llestri
a oedd yn sych grimp o flaen y Rayburn. Dwi wastad
yn meddwl am y lliain yna, hwnna efo bloda glas,
fel 'y llian daflodd o'. Wedi sychu llestri oedd o, ac
yna cyhoeddi yn ôl ei arfer, 'Dwi 'di sychu llestri i
ti.' Am ryw reswm fe gafodd wybod y diwrnod
hwnnw mai nid i mi roedd o wedi sychu ei blât ei
hun a phlatiau ei blant. A dyma'r lliain bloda glas
yn fflio trwy'r awyr ac yn gyfeiliant iddo, 'Y bitsh

anniolchgar'. Digon disylwedd 'di geiria ond fe sticiodd rheina.

Mae'n siŵr nad dyna'r tro cyntaf iddo fy rhegi. Fel arfer fe fyddent yn diflannu o'm cof cyn gynted ag yr oedd wedi eu dweud bron. Ond fe arhosodd y 'bitsh' yna ac oeri ychydig arnaf. Nid 'mod i'n poeni — be 'di rheg neu ddwy? Dydan ni'n caru'n gilydd, mynd allan am ffidan weithia pan ga i rywun i warchod.

I'r llofftydd wedyn — gwlâu heb eu gwneud a chrwyn bananas otanyn nhw, 'sana budron a sticars Batman. Ffenestri yn y to sydd yn llofftydd y plant — rhai mawr, modern. Roedd hi'n haws gweld sut roedd y plu eira yn disgyn ac yn aros a finna oddi tanynt. Honna'n aros, honna'n toddi, honna'n dechra llithro i lawr y paen ond yn cael ei dal gan eraill. Rhoddais fy llaw ar y paen i drio toddi'r eira gyda'i gwres, ond er siom i mi ni ddigwyddodd dim byd. Sylweddolais yn sydyn mai gwydr dwbl ydoedd — atal gwres, atal sŵn — 'hulpan wirion'. O leia roedd posib i mi weld yn iawn beth oedd yn digwydd.

Y stafell 'folchi nesa. Rhaid i fanno sgleinio, a gwell i mi roi rhyw chwistrelliad bach o rwbath. Yn y stafell, ddim arnaf fi'n hun, siŵr. 'Ti'n drewi fatha hŵr. Er mwyn pwy?' Wnes i ddim wedyn, ond mae'n braf cael ogla neis mewn stafell, yn enwedig lle mae rhai pobl yn anelu'n gam. Roedd hi'n dal i fwrw eira, plu mân, mân. Prin y byddai posib teimlo un ohonynt yn glanio ar gledr llaw, neu hyd yn oed ar

flaen tafod. Ond o godi godra'r cyrtans les fe welwn
fod yr ardd tua hanner hanner gwyrdd a gwyn —
dim ond y planhigion cryfaf, mwyaf herfeiddiol yn
sefyll uwch ei ben ac yn cogio bach nad oedd dim
byd yn bod. Drysu ydi dweud fod dail daffodils yn
meddwl. 'Blydi merched — 'di'ch brêns chi ddim
yn gweithio'n iawn.' Fe glywodd y genod hynna.
Gobeithio y bydd hi wedi stopio bwrw eira cyn iddyn
nhw ddod adra o'r ysgol.

Y stafell fyw neu'n llofft ni nesa'? Y stafell fyw
dwi'n meddwl. Hen enw gwirion — fel tasa'r lleill
yn stafelloedd marw. Coginio a chachu, cysgu a
charu yn golygu dim; ond gwylio 'Pobol y Cwm' a
phob sothach a ddaw i'w ddilyn tan yr oria mân yn
cynrychioli 'byw'. Ond gan nad oedd neb arall yn
y stafell dyma wthio'r botwm er mwyn creu cwmni
i mi fy hun wrth dynnu llwch. Adroddiadau am yr
eira mewn rhannau eraill o'r wlad — rhai yn ei chael
hi'n waeth, eraill heb eu cyffwrdd eto. Roedd yn dal
i ddisgyn yma, dal i ddisgyn, dal i ddisgyn. 'Slwt,
slebog, tew, twp, blewog, blin.' Roedd angen y teledu
arnaf i foddi sŵn y plu eira yn disgyn.

Ac yna i'n llofft ni a'r eira yn disgyn yn gynt ac
yn gynt. Yn cael ei hyrddio yn erbyn y ffenest gan
ryw wynt a ddaeth o rywle heb i mi sylweddoli. Plu
bach gwyn meddal yn troi yn betha dychrynllyd
oherwydd eu bod yn dod yn syth tuag ataf, yn
hytrach na disgyn dan ofal disgyrchiant. 'Pam na
wnei di . . . erstalwm . . . mae 'na rai merched . . .

ar ôl i'r ffilm 'ma orffen . . . dwi 'di blino . . .' Plu meddal fel picelli yn dod yn syth tuag ataf. 'Falla bydd petha'n well heddiw — dywedais fy mantra gobeithiol yn uchel yn y llofft wag a welodd y fath newid. Ac fel pe bai'r mantra yn gweithio fe arafodd yr eira; newid yn blu mawr, plu y gallwn ddilyn eu taith unwaith eto a'u gweld yn glanio.

Clywais y drws cefn yn agor — y fo adra'n gynnar oherwydd yr eira mae'n rhaid. Meddwl am funud galw arno i ymuno â mi yn y llofft. Ond roedd hi'n dal i fwrw eira.

Fe'i clywais yn gollwng ei gôt a'i fag ac yn brygowthan o dan ei wynt am ddynion yn gorfod gweithio ymhob tywydd, ac yna yn uwch, 'Be ddiawl ti 'di bod yn 'neud trwy'r dydd, y gont?'

Ac fe ddisgynnodd y bluen ola ac ar ôl i honno ddisgyn roedd popeth yn wyn, a dim tyfiant gwyrdd i'w weld yn unman.

Ac fel y gŵyr pob plentyn, pan mae pobman yn wyn mae'n rhaid mynd allan o'r tŷ.

Y Penderfyniad

Wythnosau cyn y diwrnod hwn roedd William wedi eu gweld yn ei ddychymyg yn sefyll ysgwydd wrth ysgwydd yn ei wylio yn ymadael. Ei ysgwydd ef, er wedi crymanu yn ddiweddar, yn dal droedfedd yn uwch na'i briod, er ei bod hi yn parhau i sefyll yn unionsyth ac, o'r cefn, yn debyg iawn i'r Fari ugain oed a briododd. Roedd yr hyn a blygodd ei wegil o wedi rhychu ei hwyneb hi. Dyna fel y gwelai o yr olygfa yn ei feddwl — y ddau ohonynt wrth adwy'r buarth yn gwylio'r llanc penfelyn yn cerdded i fyny'r ffordd. Fe fyddent yn bryderus wrth gwrs — eu cyntaf-anedig yn eu gadael, am byth efallai, ond byddent yn gytûn. Byddai rhyddhad yn eu huno, byddai'r broblem wedi ei datrys.

Edrychodd William ar ei gaeau gyda balchder. Ers ugain mlynedd bellach roedd wedi bod yma yn Nhyddyn Du. Hen ŵr a adawodd i'r lle ddirywio oedd yma o'i flaen, a bu rhaid gweithio'n galed. Mentrodd weithiau a llwyddo yn amlach na pheidio. Yn wir, ni allai gofio yr adegau y methodd, er bod rhai o'i gymdogion yn cofio'n iawn. Trodd ei olygon tua'r tŷ ac yn Cae Bach roedd cynfasau gwyn ar y lein er ei bod yn gynnar iawn yn y bore. Hyd yn oed heddiw roedd Mari wrthi fel lladd nadredd, yn arbennig heddiw efallai. Felly y bu erioed — ymgolli mewn gwaith. William fyddai'n gwneud y penderfyniadau — pryd i godi tatws, lle i werthu'r ŵyn, addasu ychydig ar adeilad — ond byddai Mari yn eu mabwysiadu a phe baech yn dod ar ei thraws wrth ryw orchwyl neu'i gilydd byddech yn tyngu mai ei chynllun hi ydoedd. Pe baech yn sgwrsio efo William byddech chi ac yntau yn bendant mai ef wnaeth y rhan helaethaf o'r gwaith. Pylodd y ffin rhyngddynt — dau yn un a hynny i bob golwg heb unrhyw densiwn.

Roedd Siloam yn terfynu â thir Tyddyn Du, ac yn haul isel y bore taflai gysgod hir dros Cae Pella. Dradwy byddai'n Sul. Sythodd William ychydig wrth feddwl am y Sul. Byddai'n dda cael dychwelyd — nid yn syth i'w hen le yn y Sêt Fawr wrth reswm, ond gydag amser roedd yn ffyddiog y dychwelai yno hefyd. Roedd dynion, o'u trin yn iawn, yn barod i anghofio bron popeth. Cwta chwe mis fu ers y cyfarfod tanllyd a'r torri allan. Pythefnos wedyn gwnaeth William yn siŵr ei fod yn digwydd pasio drws cefn y Crown er mwyn cael dymuno 'Nos Da' i rai nad oedd yn orawyddus i'w gyfarch yn y man a'r lle hwnnw. Ychydig wythnosau wedyn cafodd gyfle i drafod ymhellach gydag un neu ddau.

Bu'n fargeiniwr erioed — ni phrynodd geffyl yn ei fywyd heb iddo gael ei bedoli y diwrnod cynt. Rŵan, fo oedd ar ofyn eraill.

'Pe bai'r hogyn ddim yn dal o gwmpas y lle 'ma, William, fe fyddai yn haws ailystyried Mari a chditha.'

'Wedi'r cwbwl, mae'r enath wedi mynd at ei modryb yn Abertawe.'

'Mi ddo i â'r cyfeiriad i chi, William — cwch dda meddan nhw.'

A rhoddwyd celc prin mewn amlen, a gyrrwyd amlen i Lerpwl, ac ymhen amser daeth darn o bapur i Ddyddyn Du ac arno ddyddiad, ac enw, a rhif cei, ac enw porthladd a oedd dri mis o fentro o Ddyddyn Du ac yn ddigon pell i gamymddwyn cyntaf-anedig William a Mari fynd yn angof yn Siloam. Rhoddodd y tocyn ar y bwrdd i Mari ei ddarllen, ac i'r mab ei ddarllen. Chriodd hwnnw ddim pan aed ag ef, heb bwt o esboniad, i'r ysgol am y tro cyntaf ac ni ddywedodd air wrth ddarllen ei ddyfodol ar fwrdd y gegin. Symudodd Mari ddim — hi a oedd yn rhoi chwe thro am un i bawb arall, yn eistedd yn llonydd am hanner awr.

Do, fe olchodd a thrwsiodd ddillad a chasglu pethau at y daith, ond welodd o erioed mohoni yn symud mor ara deg. Datblygodd grydcymala dros nos, ac eto wrth wneud popeth arall roedd yn holliach. Am y tro cyntaf erioed ceisiodd gyfiawnhau ei hun.

'Gawn ni'n derbyn yn ôl wedyn, gei di weld.'

'Fe gei di.'

Dyna'r unig drafodaeth fu rhyngddynt ar y pwnc,

ond dyma nhw heddiw a lled dau gae rhyngddynt a'r llanc penfelyn yn cerdded i fyny'r ffordd. Hwnnw yn edrych i'r chwith i chwifio ar ei fam yn nrws y tŷ ac yna troi unwaith i'r dde i godi llaw ar ei dad a safai yn wargrwm yn Cae Pella.

Yn y Sŵ

Y pnawn pan oedd y deintydd yn sâl yr aeth hi yno gyntaf. Roedd wedi gadael y gwaith i fynd i gael llenwi dant (twll bach, dim poen) ond pan gyrhaeddodd roedd y ferch wrth y ddesg yn llawn ymddiheuriadau,

'Mrs Wood wedi llewygu ddeng munud yn ôl, wedi cael ei rhuthro i'r ysbyty, dim modd trefnu apwyntiad arall ar y funud.'

Ystyriodd Mena ei hun yn lwcus iawn fod y deintydd wedi llewygu ddeng munud cyn iddi gyrraedd yn hytrach na deng munud wedyn tra'n gafael yn y dril a hwnnw yng ngheg Mena. Gadawodd yr adeilad yn teimlo ei bod wedi cael dihangfa, a chan fod ffawd fel pe bai o'i phlaid penderfynodd na fyddai yn dychwelyd i'r swyddfa y pnawn hwnnw.

Osgoi gwaith, cael ychydig funudau ar ei phen ei hun oedd y bwriad. Meddwl oedd hi y gallai fynd i rywle o A i Z pan welodd yr arwydd 'Zoo'. Trodd i'r dde, dros y bont ac i mewn trwy'r giatiau hen ffasiwn. Prin oedd angen dangos ei cherdyn myfyriwr i'r porthor i gael gostyngiad — roedd pnawn Llun ym mis Hydref yn ddiflas a merched ifanc efo coesa at eu ceseilia a gwallt coch at eu tina yn betha prin hyd yn oed ganol haf. Dyna oedd y disgrifiad a roddodd i'w fêts yn y Crown y noson honno ac roedd yn gartŵn eitha o Mena.

Camodd gyda'r coesau hirion i lawr y llwybr tuag at yr afon a redai trwy ganol safle'r sŵ. Cysgodi yn eu cytiau neu freuddwydio yn dawel am ddyddiau a fu neu ddyddiau i ddod neu amser te oedd y rhan fwyaf o'r anifeiliaid. Ni sylwodd Mena beth oedd yn byw yn y cawell y tu ôl iddi pan eisteddodd ar y fainc. Eisteddodd yno yn wynebu'r afon, yn syllu ar y chwid barus yn nofio yn ddisgwylgar tuag ati, ac yn synfyfyrio. Edrych ymlaen i adael ei gwaith gwyliau yn y swyddfa ymhen wythnos a dychwelyd i'w chwrs coleg, neu o leiaf i'w bywyd coleg.

Clywodd sŵn y tu ôl iddi a throdd. Arth oedd yno — dim arth fawr frown i ddychryn Elen Benfelen, dim arth wen dlos a ddylai fod yn hela ar y rhew, ond rhyw beth fechan ddu. Doedd hi ddim yn arth arbennig o iach yr olwg chwaith, dim sglein ar ei blew, symud yn betrus, ond roedd ganddi ddau lygad tywyll yn pefrio. Syllodd y ddau lygad ar Mena, syllu a syllu am hir. Ar ôl 'chydig cododd Mena a dechrau cerdded yn ei blaen tuag at y caffi. Cyn troi'r gornel trodd i edrych yn ôl ac yno roedd yr arth yn dal i rythu. Er bod yna bobl eraill yn nes ati erbyn hyn nid oedd wedi tynnu ei llygaid oddi ar Mena. Dyna'r cwbl a ddigwyddodd y tro cyntaf — dim byd petae wedi ceisio disgrifio'r peth i rhywun arall, ond y noson honno roedd yn dal i weld y ddau lygad tywyll yn rhythu arni.

Cwffiodd yr ysfa am ddyddiau, ond dridiau wedyn fe aeth unwaith eto i'r sŵ. Aeth i edrych ar fwncïod a llewod, gwyliodd ebol sebra am hir iawn, cymerodd baned yn y caffi ac roedd ar ei ffordd allan pan sylweddolodd ei bod unwaith eto ger cawell yr arth fach. Nid oedd golwg ohoni ond fel roedd Mena yn mynd heibio daeth allan o'r ffau ffug yn y cefn a cherdded yn bwrpasol tuag at y bariau, ac unwaith eto y ddau lygad yng nghanol y blewiach di-raen. Mae'n rhaid eu bod wedi bod yn rhythu ar ei gilydd am hir achos fe sylweddolodd Mena'n sydyn ei bod wedi cyffio a throdd i ffwrdd fel pe'n flin â'r arth fach am wastraffu ei hamser.

Aeth i'r sŵ y diwrnod wedyn hefyd a'r tro yma mynd yn syth at gawell yr arth. Nid oedd neb wrth ymyl ac nid oedd golwg o'r arth chwaith. Roedd ar fin troi oddi yno gan chwerthin am ben ei siom pan ymddangosodd y greadures. Eisteddodd Mena ar y fainc ddi-gefn, eistedd yn wynebu'r cawell y tro yma a thynnu pensel a llyfr braslunio o'i phoced.

Roedd hyn yn ffordd o gyfiawnhau'r peth — brasluniau ar gyfer prosiect hwy ar ôl dychwelyd i'r coleg. Gwnaeth nodiadau ar ochr y ddalen — rhywbeth am *papier mâché*, cynllun o fariau trymion a'r arth yn fach, fach. Cychwynnodd wedyn ar ddalen lân — darlunio'r arth yn gywrain, gywrain, ceisio gwneud lluniau oedd yn edrych mor debyg i'r gwrthrych ag oedd bosib, lluniau nad oedd yn dweud dim. Nid oedd wedi gwneud peth tebyg i hyn ers blynyddoedd — byddai hi a'i chyfeillion wedi eu dilorni, 'pensel gamera'. Eisteddai'r arth fach yn berffaith lonydd am hir ac yna symud i osgo arall hollol wahanol ac aros yn llonydd eto. Fe symudodd y tro cyntaf fel roedd yn gorffen y llun cyntaf a gwenodd Mena ar y cyd-ddigwyddiad. Wedi iddo ddigwydd am y pedwerydd tro nid oedd yn gwenu. Fel y byddai yn gorffen un llun byddai'r arth yn codi, symud a setlo eto, ac yn aros felly hyd nes bod y llun hwnnw wedi gorffen. Caeodd Mena ei llyfr gyda chlep a gadael yn sydyn heb edrych a oedd y ddau lygad yn ei gwylio. Penderfynodd y byddai'n mynd i weld ffrind y diwrnod wedyn — roedd y swydd haf wedi gorffen a phythefnos ar ôl cyn dechrau'r tymor.

Ond nid oedd y ffrind gartref, felly unwaith eto roedd ar y fainc yn darlunio'r arth. Gweithiai yn dawel ac yn ddygn, yn ceisio dal pob manylyn o'r anifail bach. Gallai weld bod ei lluniau yn gwella. Cymerodd saib ac edrych yn ôl ar yr ugain llun cyntaf — roedd y rheini'n edrych yn fras iawn erbyn hyn. Dychwelodd hwy i gefn y ffolder a sylweddoli gyda braw fod yno o leiaf gant a hanner o luniau'r arth.

Ymhen pythefnos roedd yna dros bum can llun bychan cywrain o un arth, ac roedd yn ddiwrnod ola'r gwyliau. Cerddodd am y tro olaf i lawr at y cawell wrth yr afon, tynnu ei phensel o'i phoced a dechrau gweithio. Roedd wedi arfer bellach gyda'r arth yn symud ac yn sefyll, yn symud ac yn sefyll. Bron y teimlai y gallai ei hewyllysio i orwedd neu godi, i wynebu y naill ffordd neu'r llall. Sylweddolodd nad oedd ganddi luniau agos o'r anifail, a'i fod yn bwysig iawn ei bod yn cael lluniau manwl o ddarnau arbennig o'i chorff, yn enwedig ei llygaid. Rhaid oedd dangos pob plygiad yn ei chroen, pob blewyn amrant, y patrymau mân fel olion bysedd ar flaen ei thrwyn; ond roedd yn rhy bell oddi wrthi.

Rhyngddi a bariau'r cawell ei hun roedd ffens bren, ychydig lwyni isel a ffos fechan yn llawn dŵr gwyrdd. Rhoddodd ei phapur yn saff yn ei bag a chamu dros y ffens bren. Yna dechreuodd wthio drwy'r llwyni. Roedd hyn yn anoddach, roedd drain yn eu canol a'r rheini yn bachu yn nefnydd ei throwsus. Cododd y bag yn cynnwys yr holl luniau yn uchel uwchben y tyfiant a gwthio yn ei blaen. Cyrhaeddodd ochr y ffos. Petrusodd am ychydig, roedd yn anodd iawn barnu pa mor ddwfn oedd y dŵr. Roedd yr arth yn union gyferbyn â hi. Gallai weld llun mor dda y gallai ei dynnu o'i gweflau pe bai wrth ymyl y bariau. Ei phawennau hefyd — syllodd Mena ar yr ewinedd a oedd wedi tyfu yn rhy hir gan ysu i dynnu ei phensel o'r bag; ond byddai yn well bod yn nes i gael y manylion yn iawn. Camodd yn araf i'r dŵr a'r bag lluniau yn uchel uwch ei phen. Roedd tua throedfedd o ddŵr ac ychydig fodfeddi o fwd ar y gwaelod. Cerddodd yn araf drwyddo. Roedd yn mynd ychydig yn ddyfnach ond nid aeth lawer uwch na'i phengliniau. Camodd allan ac eistedd ar y cwta droedfedd o bridd sych rhwng y ffos a bariau'r cawell. Roedd yr arth yno o fewn troedfedd iddi, wedi gosod ei phawen yn ofalus fel bod pob gewin i'w weld. Tynnodd Mena ei phapur a'i phensel allan o'r bag yn ofalus a dechrau tynnu llun y bawen. Gorffennodd y llun hwnnw a throdd yr arth ar ei hochr nes bod modd gweld o dan ei phawen. Dechreuodd yn ofalus i dynnu'r llun hwnnw ac wrth graffu disgynnodd y bensel o'i gafael. Rowliodd honno o fewn dwy fodfedd i bawen yr arth a chododd Mena hi heb feddwl. Yna sylweddolodd — gallai gyffwrdd yr anifail. Petrusodd am eiliad — y blew ar y goes neu'r croen ar waelod y bawen? Y blew, y blew hir a ddisgynnai rhwng yr ewinedd. Rhoddodd ei phensel ar un ochr ac ymestyn ei llaw yn araf rhwng y bariau. Eiliad cyn cyffwrdd y blew du sylweddolodd na fyddai yn teimlo dim.

Ar y Daith

Dydi awyr las ddim yn las, wrth gwrs. Camargraff, twyll, rhith, cogio bach, dim byd ond adlewyrchiad. Adlewyrchiad o'r peth hardda sydd yn bod, oedd yn bod, fydd yn bod. Wn i ddim pa un bellach. Wn i ddim ym mha le ar y cylch ydw i. Mae 'nghelloedd i yn hŷn nag oedden nhw y tro diwethaf i mi weld awyr las. Dyna pam dwi'n ei gofio.

Dwi'n credu fy mod i'n ei gofio a finnau yn gorwedd ar wastad fy nghefn ar flanced feddal a'm bodiau traed noeth yn fy ngheg. Lleisiau yn atsain uwch fy mhen ac weithiau cysgod annwyl yn dod rhyngof i a'r glas. Od fy mod yn gallu cofio hyn, ond efallai fod yr holl droi a throsi, heb fyny na lawr, wedi llacio fy nghof, a'r holl amser heb ddim i feddwl amdano wedi fy ngorfodi i gofio gwellt fy mhenglog.

Yn sicr, dwi yn ei gofio wrth i mi ddisgyn. Fflachiadau ohono wrth i mi bowlio tin dros ben, lawr, lawr, lawr y clogwyn. Ac yna ar wastad fy nghefn eto ac yn cael fy nghario yn ôl i fyny, cyn ei golli wrth gael fy rhoi yn y cerbyd i fynd i'r ysbyty. Ond mae plant pump oed wedi eu gwneud o lastig ac yn fuan iawn roeddwn eto yn ceisio dringo yn nes at yr awyr las.

Awyr las oedd yna y tu ôl i Robin wrth iddo symud yn ôl a blaen a finna ar wastad fy nghefn eto, yn darganfod eto. Dim blanced feddal y tro yma, dim ond cotiau y ddau ohonom. Mi fedra i gofio yn union sut gôt oedd ganddo, ond fedra i ddim cofio ei ail enw.

Glas oedd yr awyr yng nghynhebrwng Mam. Dwi'n gwbod, oherwydd pan oedd pawb arall ar lan y bedd a'u pennau i lawr mewn gweddi neu alar neu ffug-alar, roeddwn i yn syllu i fyny. A phawb yn sgwrsio wedyn:

'Diwrnod braf,' ond dydi hi byth yn ddigon braf i gynhebrwng.

'Doedd o'n edrych yn smart yn ei siwt,' ond fe fyddai yn ganwaith gwell gen i ei weld o yn ei jîns tyllog.

'Fe siaradodd hi'n dda,' ond fe fyddai'n filwaith gwell pe bawn heb glywed gair o'i genau.

Ond dyna fo, os oedd rhaid claddu Mam, mae'n siŵr ei bod hi'n well fod y deyrnged yn gelfydd, y siwt yn ffitio a'r awyr yn las.

Ychydig wedi hynny daeth y cyfle; cyfle i fynd i'r awyr las. Hysbyseb fechan ddinod mewn cornel papur newydd lleol. Dim ond pobol unig heb ddim i'w wneud sydd yn darllen hysbysebion mân felly:

'Merlen 20 oed ar werth . . .'

'Cwt defnyddiol ar osod . . .'

'Cyfle i wneud eich ffortiwn trwy werthu eich nwyddau . . .'

'Yn eisiau — person i gymryd rhan mewn arbrawf gwyddonol tymor hir. Cysyllter ag Alan Walker. Rhif bocs 3287.'

A chan nad oedd gen i awydd na merlen, na chwt, na ffortiwn, fe gysylltais ag Alan Walker, os dyna oedd ei enw.

Roedd y labordai yn rhai ysblennydd iawn: anodd credu fod yr hysbyseb fer yna wedi dod oddi yno. Wrth gwrs, wedi i mi gael blynyddoedd i feddwl, dwi'n sylweddoli fod yr hysbyseb wedi ei chynllunio i ddenu y person iawn, nid i adlewyrchu natur y gwaith. Fe gefais gyfweliad o fath. 'Clywed eich bod yn barddoni . . .?' Fe gefais ryw fath o esboniad o'r hyn y disgwylid i mi ei wneud; o'r hyn yr oeddwn wedi ei wneud, i bob pwrpas.

Roedd fy adroddiadau ganddo, ond os na fyddai'r cylch yn cael ei gwblhau, neu yn hytrach yn cael ei ddechrau, ni fyddent yn bodoli. Dyna ydi'r drwg gyda theithio trwy amser — mae'n gwneud i chi amau pawb a phopeth. Rhes o ddominôs yn sefyll, a does ond eisiau cyffwrdd un yn ysgafn ac . . .

Gyda chymorth Alan Walker cyffyrddais â'r dominô cyntaf.

Ond ar y pryd nid oedd yr holl athronyddu yma, fwy na'r esboniadau gwyddonol cymhleth, yn effeithio dim arnaf. Ac wrth gwrs fe wyddai Alan Walker na fyddai gennyf ddiddordeb ynddynt, unwaith y gwyddai mai y fi oedd y fi. Roedd yr arbrawf yn rhoi i mi fy nau ddymuniad pennaf — un yn hen, hen awydd a'r llall yn angen newydd. Fe gawn hedfan i'r awyr las — roedd yn rhaid gadael disgyrchiant y ddaear am gyfnod — ac fe gawn weld wyneb Mam eto.

Chollodd neb mohona i, wrth gwrs. Dyna pam yr oedd yn rhaid dewis person unig. Fe fu Alan yn hollol onest gyda mi ynglŷn â hyn. Ond fe wnaeth gelu rhywbeth. Fe gefais wybod unwaith yr oeddwn i wedi mynd yn ddigon pell, unwaith yr oeddwn wedi dechrau symud. Nid oedd ganddo syniad pa mor hir y cymerai'r daith.

Rwy'n amau iddi gymryd blynyddoedd. Efallai nad oedd ond misoedd, efallai ei fod yn ddegau o flynyddoedd. Pwy a ŵyr? Yno yn y gwacter du ymhell uwchben yr awyr las, heb ddydd na nos, heb fisglwyf, heb oriawr; yn ddim ond cof a chorff. Nid profiad ydoedd, ond yn hytrach diffyg profiad. Deallais pam fod yn rhaid iddyn nhw gael bardd. Barddoni yw cronni cri; ac fe ollyngais fy holl brofiadau a gronnwyd, fesul diferyn gan wneud patrymau celfydd â hwy.

Ond ymhen hir a hwyr, neu lai, fe ddaeth y daith i oror y fall i ben. Sylweddolais fy mod yn dechrau symud yn ôl, yn ôl tuag at darddiad yr awyr las — yn ôl trwy'r drych i weld y gwrthrych, ac yn ôl i amser pan oedd Mam yn bod. Ceisiais gofio pethau: fy hoff gwrw, y ffordd orau i wneud omlet, sut i roi penffrwyn ar ferlen — yr holl fanion dibwys, unigryw yn eu cyfuniad sydd yn gwneud fi yn fi. A gwelais fod y gist yn wag. Gollyngais fy holl orffennol, fy holl brofiadau, eu gollwng mewn cerddi er mwyn cadw fy mhwyll yn y düwch diamser; ac am nad oedd neb yno i'w bownsio yn ôl, fe'u collais hwy.

Erbyn hyn, roeddwn yn gorfforol yn ôl ar y ddaear, *terra firma*. Wedi glanio didrafferth, yr holl beiriannau wedi wneud y gwaith yn ufudd, edrychais ar y deialau a'r gwifrau a'r sgrîn mewn gobaith gwag, fel pe bai'r rheini yn gallu fy helpu i amgyffred beth oedd wedi digwydd. Ac yna daeth neges ar y sgrîn. Erbyn hyn roedd yn rhaid canolbwyntio yn galed i'w darllen.

'Un peth bach arall, ni ellir gwneud y daith yma yn ddiddiwedd. Nifer cyfyngedig o weithiau y medri di fynd yn ôl. Byddi yn gwybod pan ddaw y daith olaf. Ni wyddom beth sydd yn digwydd i ti wedyn (nac i ninnau, wrth reswm). Diolch, Alan.'

Fel hen famog yn esgor ar oen cyn marw dechreuais ysgrifennu. Ysgrifennu y pwt hwn o gofnod gan obeithio y daw bugail heibio a'i wthio dan ei gôt. Mae'n siŵr nad y fi yw'r unig un. Rhag ofn dy fod ti'n nesu at dy daith ola, gwylia'r hysbysebion mân. Dwi wedi teithio ac wedi dychwelyd yn hesb, yn wag, yn gau. Fedra i ddim . . . fedra i ddim cofio . . . fedra i ddim cofio wyneb . . . wyneb pwy?